하루 한 장 60일 집중 완성

교 과 도 형

초1

A2

여러 가지 평면 모양

히어로컨텐츠 HEROCONTENS

발행일: 2022년 3월   **발행인**: 이예찬

기획개발: 두줄수학연구소

디자인: 4BD STUDIO   **삽화**: 1000DAY

발행처: 히어로컨텐츠

주소: 서울특별시 금천구 서부샛길 632, 7층(대륭테크노타운5차)

전화: 02-862-2220   **팩스**: 02-862-2227

지원카페: cafe.naver.com/eduherocafe   **인스타그램**: @edu_ _hero

하루 한 장 60일 집중 완성 교과도형은 ....

달라진 교과서와 학교 수업 진도에 맞추어 학습자가 체계적으로 도형을 학습할 수 있도록 안내합니다.

이전의 도형 학습이 도형의 정의와 성질을 외우고, 도형의 측정결과를 계산하는 '결과' 중심의 학습이었다면 지금의 도형 학습은 공간에 대한 이해와 해석(공간감각)을 바탕으로 모양을 인식하고 변화를 유추하고 다양한 방법으로 도형을 측정하고 그 결과를 표현하는 '과정' 중심의 학습입니다.

교과도형은 수학교육의 변화와 핵심을 이해하고 올바른 방향을 제시해 주는 든든한 길잡이가 될 것입니다.

하루 한 장 60일 집중 완성 교과도형은 ....

① 공간감각 ② 도형표현 ③ 도형측정을 중심으로 교과서에서 다루는 모든 도형을 체계적으로 학습합니다.

공간감각

도형을 효과적으로 학습하기 위해서는 공간을 이해하고 해석하는 능력, 즉 '공간감각'이 필요합니다.

공간감각은 경험과 상상력을 바탕으로 머릿속에서 도형을 조작하고 결과를 유추하는 능력입니다. 공간감각은 단시간에 길러지지 않으므로 어릴 때부터 꾸준하게 학습하고 구체적인 경험을 쌓는 것이 중요합니다.

'교과도형'의 각 권 마지막에 있는 '도형플러스'는 각 권의 학습목표와 연계하여 공간감각을 한 단계 더 높여줄 수 있는 내용으로 구성하였습니다.

도형표현

공간에 존재하는 도형은 표현되었을 때 더 큰 의미를 가집니다.

• 삼각형을 찾는 것에서 그치지 않고 다양한 삼각형을 직접 그려 보고 왜 삼각형인지 설명하는 것
• 쌓기나무로 만든 모양을 위치와 방향을 이용하여 설명하는 것
• 도형을 여러 가지 기준과 특징에 따라 분류하고 왜 그렇게 분류했는지 설명하는 것
• 도형을 위·앞·옆에서 바라보고 그 모습을 그림으로 표현하는 것 등이 모두 '도형표현'입니다.

'교과도형'은 도형과 관련한 작은 그림에서부터 서술형 문장제까지 도형을 표현하는 다양한 방법을 효과적으로 학습합니다.

도형측정

측정은 도형과 아주 밀접한 관계가 있으므로 도형을 학습하면서 반드시 함께 다루어야 하는 영역입니다.

길이, 각도, 둘레, 넓이, 부피 등 흔히 '도형' 영역이라 생각하는 것이 사실 초등 교육과정에서는 '측정' 영역에 해당합니다. 사각형을 학습하는 것은 도형이지만 사각형의 둘레와 넓이를 구하는 것은 측정입니다. 각의 종류를 학습하는 것은 도형이지만 각도를 재는 것은 측정입니다. 이처럼 길이, 각도, 둘레, 넓이, 부피 등은 결국 도형을 측정하는 것입니다.

'교과도형'은 교과서의 모든 '도형' 영역을 다루었습니다. 여기에 도형과 반드시 연계하여 학습해야 하는 '측정' 영역을 추가로 다루어 더욱 완성된 도형 학습을 할 수 있도록 도와줍니다.

하루 한 장 60일 집중 완성 교과도형은

7세부터 6학년까지 총 7단계 21권(단계별 3권)으로 구성되어 있으며 각 권은 매일 한 장씩 4주간 체계적으로 학습할 수 있습니다.

1권, 20일

2권, 20일

3권, 20일

대 상	단 계	구 성
7세 ~ 1학년	P	P1, P2, P3
1학년	A	A1, A2, A3
2학년	B	B1, B2, B3
3학년	C	C1, C2, C3
4학년	D	D1, D2, D3
5학년	E	E1, E2, E3
6학년	F	F1, F2, F3

교과도형의 각 단계는 1, 2, 3권을 차례대로 학습합니다.

교과도형, 한 권이면 충분합니다 ·······························

교과도형은 공간감각, 도형표현, 도형측정을 중심으로 교과서에서 다루는 모든 도형을 학습하고,
공간감각 향상을 위한 '도형플러스'와 학습 결과를 확인하는 '형성평가'를 제공합니다.

1 주차별 학습

공간감각

도형 학습의 바탕이 되는
공간감각을 길러줍니다.

도형표현

다양한 그림과 문장제로
도형을 표현하는 방법을
배웁니다.

도형측정

도형 학습에 필수적인 측정
을 도형과 연계하여 학습합
니다.

[체크 박스]
문제를 해결하는 데 도움이
되는 정보를 제공합니다.

[개념 포인트]
학습할 때 꼭 필요한 기본
개념을 설명합니다.

2 도형플러스

각 권의 학습 주제와
연계하여 공간감각을
더욱 향상시킵니다.

3 형성평가

학습한 내용을 다시 한 번
복습하고 정리합니다.

이 책의
차례

1주차	본뜬 모양	07
2주차	모양의 특징	19
3주차	모양 꾸미기	31
4주차	모양의 개수	43
도형플러스	겹쳐진 순서	55
형성평가		63

본뜬 모양

21일 모양 구분하기 ················· 08

22일 종이에 본뜨기 ················· 10

23일 본뜬 모양 잇기 ················· 12

24일 본뜬 물건 찾기 ················· 14

25일 물감 묻혀 찍기 ················· 16

💬 알맞은 모양에 ◯표 하세요.

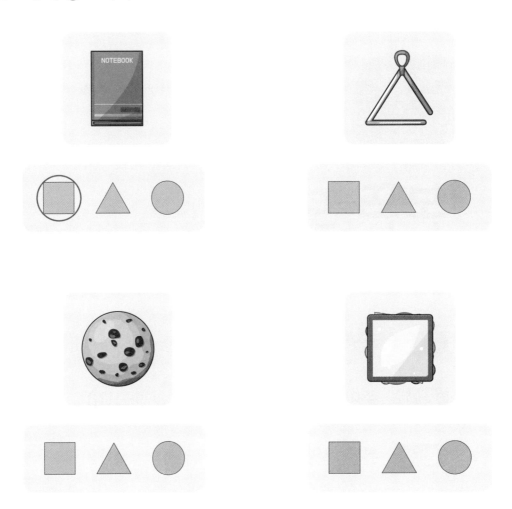

11 주어진 모양과 같은 모양에 ◯표 하세요.

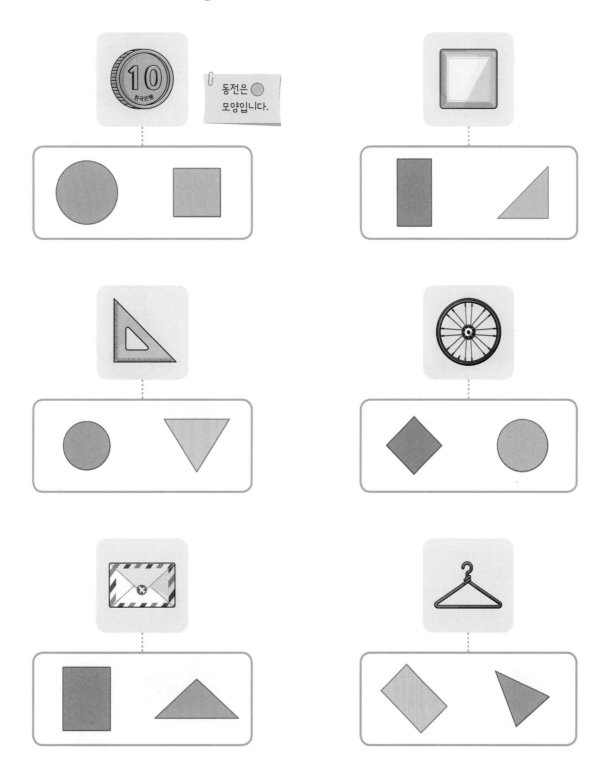

동전은 ◯ 모양입니다.

💬 본뜬 모양에 ◯표 하세요.

본뜬 모양

물건을 종이 위에 놓고 물건의 테두리를 따라 그리는 것을 본뜨기라고 합니다.

본뜬 모양	본뜬 모양	본뜬 모양

 →   →

11 본뜬 모양에 ◯표 하세요.

본뜬 모양을 찾아 이어 보세요.

n 본뜬 모양의 일부분입니다. 알맞게 이어 보세요.

본뜬 물건 찾기

🎧 본뜬 모양입니다. 본뜬 물건에 ◯표 하세요.

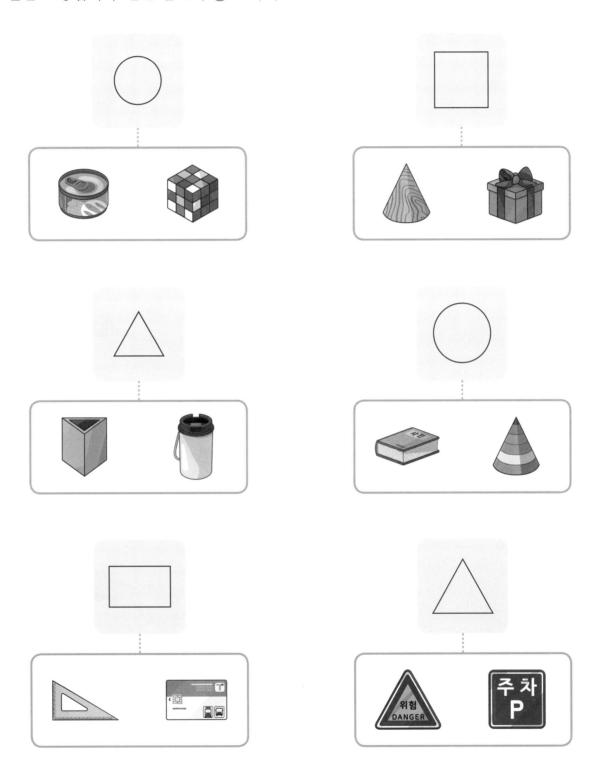

④ 본을 떴을 때 왼쪽 모양이 나올 수 없는 모양에 ×표 하세요.

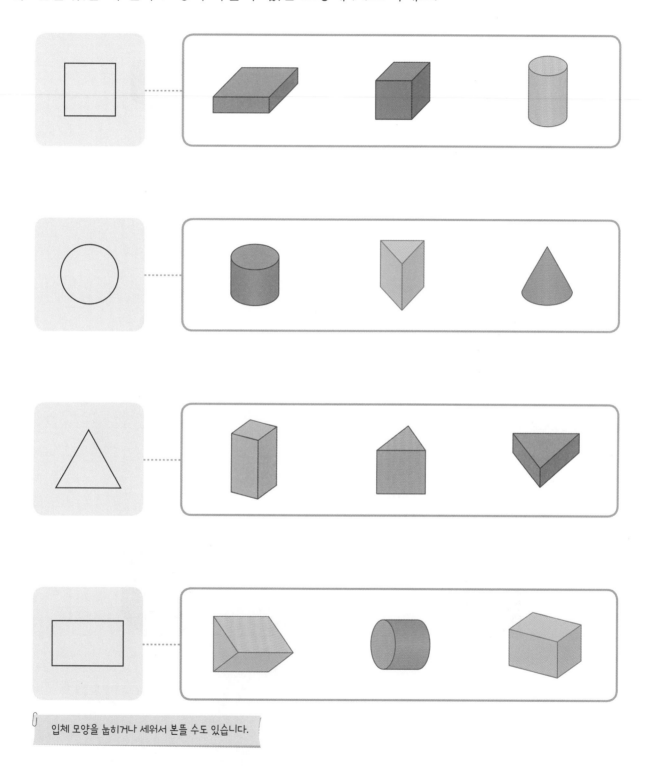

입체 모양을 눕히거나 세워서 본뜰 수도 있습니다.

물감 묻혀 찍기

모양의 아랫부분에 물감을 묻혀 찍습니다. 나오는 모양에 ○표 하세요.

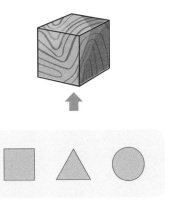

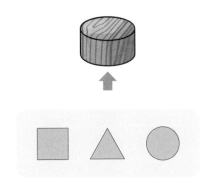

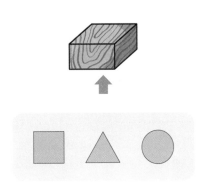

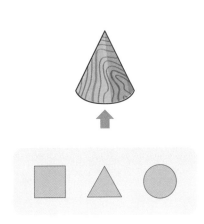

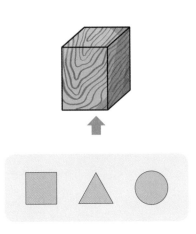

💬 물음에 답하세요.

평평한 부분에 물감을 묻혀 찍을 때 나올 수 있는 모양에 ◯표 하세요.

평평한 부분에 물감을 묻혀 찍을 때 나올 수 있는 모양에 모두 ◯표 하세요.

모양의 옆면에도 물감을 묻혀 찍을 수 있습니다.

평평한 부분에 물감을 묻혀 찍을 때 나올 수 없는 모양에 △표 하세요.

🖍 입체 모양을 모래에 찍었습니다. 모래에 찍은 모양을 찾아 ◯표 하세요.

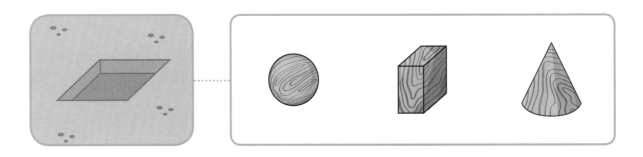

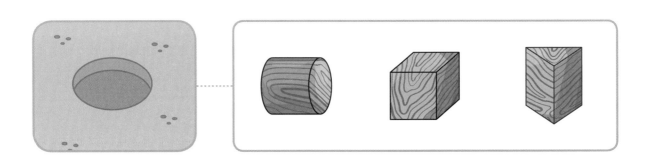

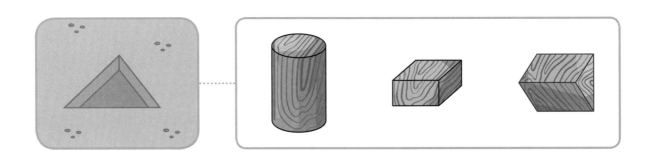

모양의 특징

26일 뾰족한 곳 ················· 20

27일 편평한 선 ················· 22

28일 모양의 특징 ················· 24

29일 물건의 모양 ················· 26

30일 모양 분류 ················· 28

뾰족한 곳

뾰족한 곳이 있는 것에 ◯표, 뾰족한 곳이 없는 것에 ✕표 하세요.

(   )

(   )

(   )

(   )

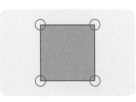

(   )

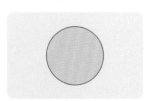

(   )

■ 모양	▲ 모양	● 모양
뾰족한 곳이 **4**군데입니다.	뾰족한 곳이 **3**군데입니다.	뾰족한 곳이 없고 둥근 부분만 있습니다.

뾰족한 곳이 **3**군데인 모양은 '**3**', 뾰족한 곳이 **4**군데인 모양은 '**4**', 뾰족한 곳이 없는 모양에는 '**0**'을 써 보세요.

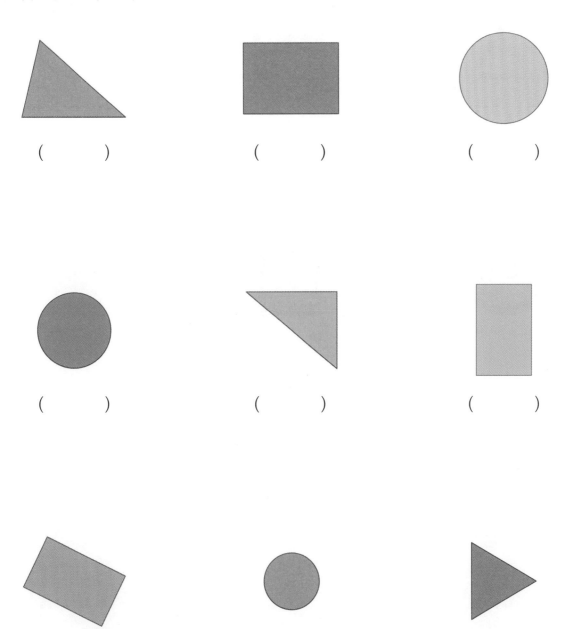

(   )   (   )   (   )

(   )   (   )   (   )

(   )   (   )   (   )

편평한 선

편평한 선이 있는 것에 ○표, 편평한 선이 없는 것에 ✕표 하세요.

(   )

(   )

(   )

(   )

(   )

(   )

편평한 선

■ 모양	▲ 모양	● 모양

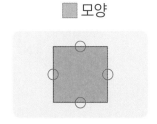

편평한 선이 **4**군데입니다.

편평한 선이 **3**군데입니다.

편평한 선이 없습니다.

편평한 선이 **3**군데인 모양은 '**3**', 편평한 선이 **4**군데인 모양은 '**4**', 편평한 선이 없는 모양에는 '**0**'을 써 보세요.

(   )　　　　(   )　　　　(   )

(   )　　　　(   )　　　　(   )

(   )　　　　(   )　　　　(   )

모양의 특징

📖 모양의 특징을 따라 선을 그어 보세요.

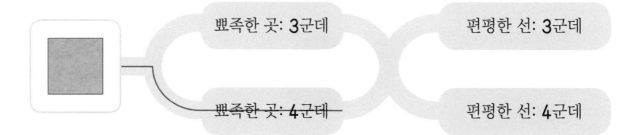

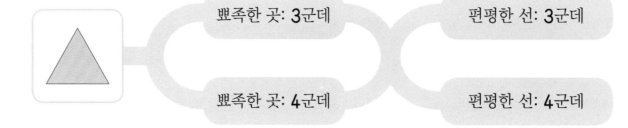

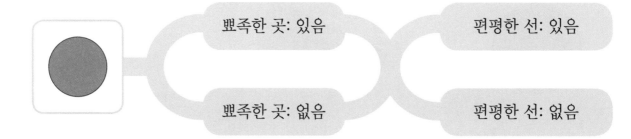

여 알맞은 모양을 찾아 이어 보세요.

뾰족한 곳이 **3**군데 있습니다. •

뾰족한 곳이 **4**군데 있습니다. •

뾰족한 곳이 없습니다. •

편평한 선이 **4**군데 있습니다. •

편평한 선이 없습니다. •

편평한 선이 **3**군데 있습니다. •

물건의 모양

💬 물음에 답하세요.

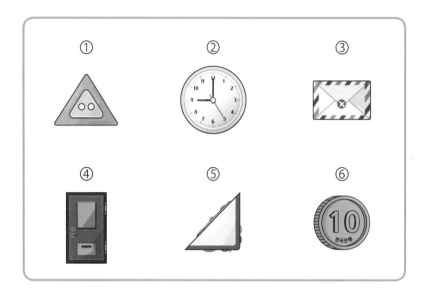

뾰족한 곳이 **3**군데인 것의 번호를 모두 써 보세요.

① , ☐

뾰족한 곳이 **4**군데인 것의 번호를 모두 써 보세요.

☐ , ☐

뾰족한 곳이 없는 것의 번호를 모두 써 보세요.

☐ , ☐

🗨 물음에 답하세요.

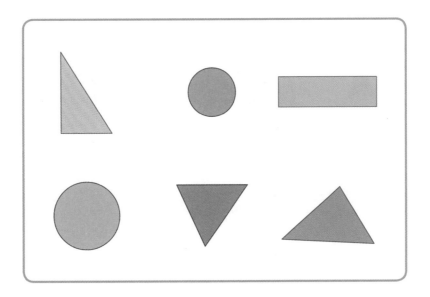

편평한 선이 없는 모양은 모두 몇 개일까요? ☐개

편평한 선이 있는 모양은 모두 몇 개일까요? ☐개

편평한 선이 3군데인 모양은 모두 몇 개일까요? ☐개

모양 분류

모양의 특징에 따라 분류합니다. 빈칸에 알맞게 번호를 써넣으세요.

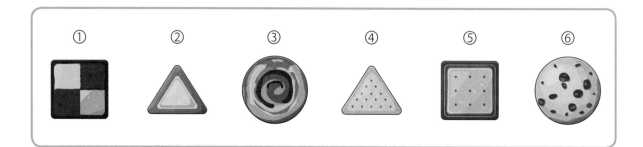

뾰족한 곳이 3군데인 것	뾰족한 곳이 4군데인 것	뾰족한 곳이 없는 것

편평한 선이 3군데인 것	편평한 선이 4군데인 것	편평한 선이 없는 것

각 묶음에서 잘못 분류한 모양을 l개씩 찾아 각각 ✕표 하세요.

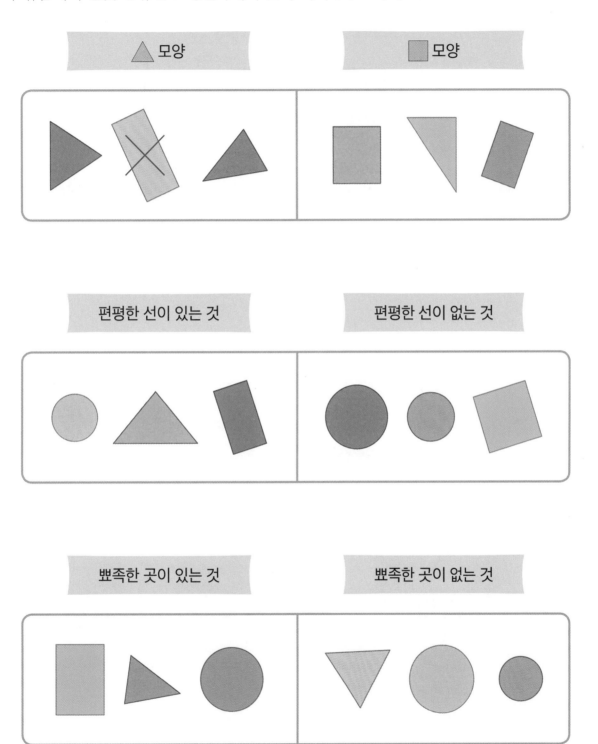

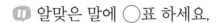 알맞은 말에 ◯표 하세요.

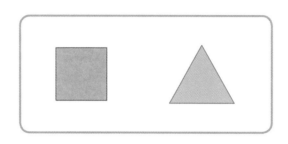

(⬛ , 🔺) 모양은 뾰족한 곳이 **3**군데이고, (⬛ , 🔺) 모양은 뾰족한 곳이 **4**군데입니다.

⬛와 🔺 모양은 편평한 선이 (있습니다 , 없습니다).

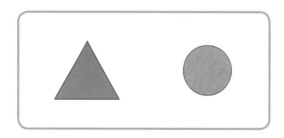

(🔺 , ⬤) 모양은 뾰족한 곳이 있고, (🔺 , ⬤) 모양은 뾰족한 곳이 없습니다.

🔺 모양은 편평한 선이 (**3** , **4**)군데입니다.

3주차
31~35일

모양 꾸미기

31일 모양의 개수 ·············· 32

32일 가장 많이 이용한 모양 ·············· 34

33일 더 많이 이용한 모양 ·············· 36

34일 이용한 조각 ·············· 38

35일 모양 꾸미기 ·············· 40

① 모양별로 몇 개씩 이용했는지 세어 보세요.

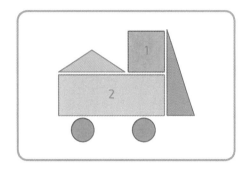

🟦 모양: [2] 개

🔺 모양: [ ] 개

🔴 모양: [ ] 개

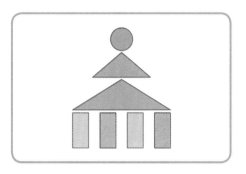

🟦 모양: [ ] 개

🔺 모양: [ ] 개

🔴 모양: [ ] 개

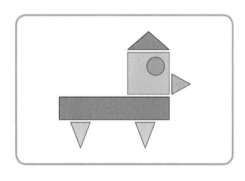

🟦 모양: [ ] 개

🔺 모양: [ ] 개

🔴 모양: [ ] 개

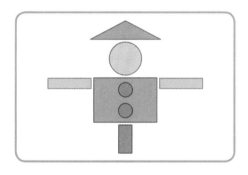

🟦 모양: [ ] 개

🔺 모양: [ ] 개

🔴 모양: [ ] 개

⑪ 모양별로 몇 개씩 이용했는지 세어 보세요.

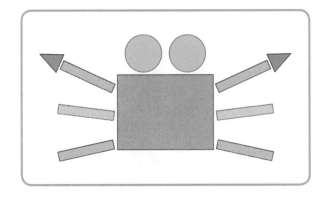

■ 모양: ☐ 개

▲ 모양: ☐ 개

● 모양: ☐ 개

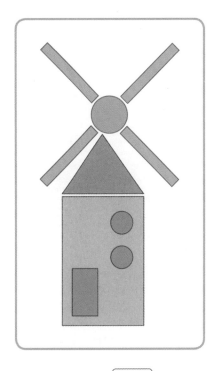

■ 모양: ☐ 개

▲ 모양: ☐ 개

● 모양: ☐ 개

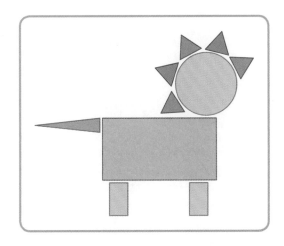

■ 모양: ☐ 개

▲ 모양: ☐ 개

● 모양: ☐ 개

가장 많이 이용한 모양

🔘 모양을 꾸미는 데 가장 많이 이용한 모양에 ◯표 하세요.

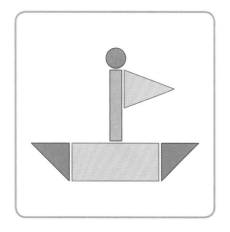

모양별로 몇 개씩 이용했는지 세어 봅니다.

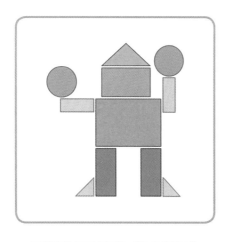

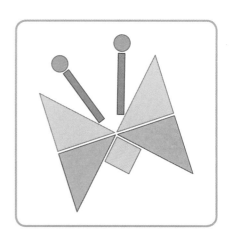

💬 모양을 꾸미는 데 가장 적게 이용한 모양에 △표 하세요.

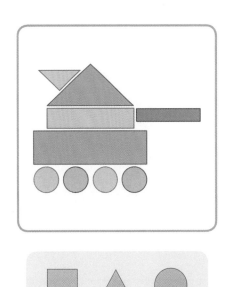

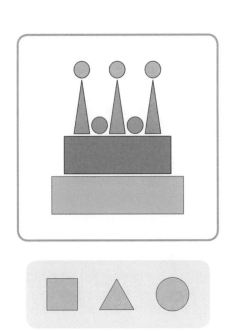

🔟 빈칸에 알맞은 수를 써넣으세요.

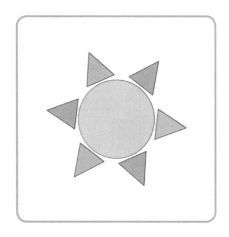

△ 모양은 ☐ 개, ● 모양은 ☐ 개 이용했습니다.

△ 모양은 ● 모양보다 ☐ 개 더 많이 이용했습니다.

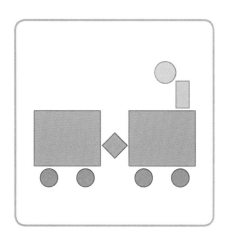

● 모양은 ☐ 개, ■ 모양은 ☐ 개 이용했습니다.

● 모양은 ■ 모양보다 ☐ 개 더 많이 이용했습니다.

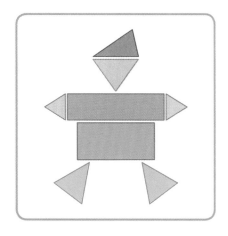

△ 모양은 ☐ 개, ■ 모양은 ☐ 개 이용했습니다.

△ 모양은 ■ 모양보다 ☐ 개 더 많이 이용했습니다.

⑪ 빈칸에 알맞은 수를 써넣으세요.

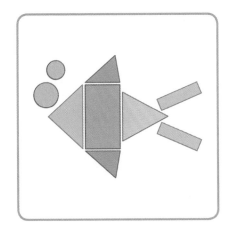

▲ 모양은 ● 모양보다 ☐ 개 더 많이 이용했습니다.

▲ 모양은 ■ 모양보다 ☐ 개 더 많이 이용했습니다.

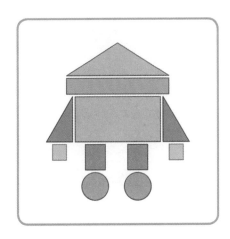

■ 모양은 ▲ 모양보다 ☐ 개 더 많이 이용했습니다.

▲ 모양은 ● 모양보다 ☐ 개 더 많이 이용했습니다.

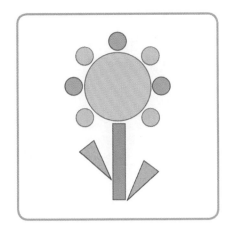

▲ 모양은 ■ 모양보다 ☐ 개 더 많이 이용했습니다.

● 모양은 ▲ 모양보다 ☐ 개 더 많이 이용했습니다.

🏷 주어진 조각을 모두 이용하여 꾸민 모양에 ◯표 하세요.

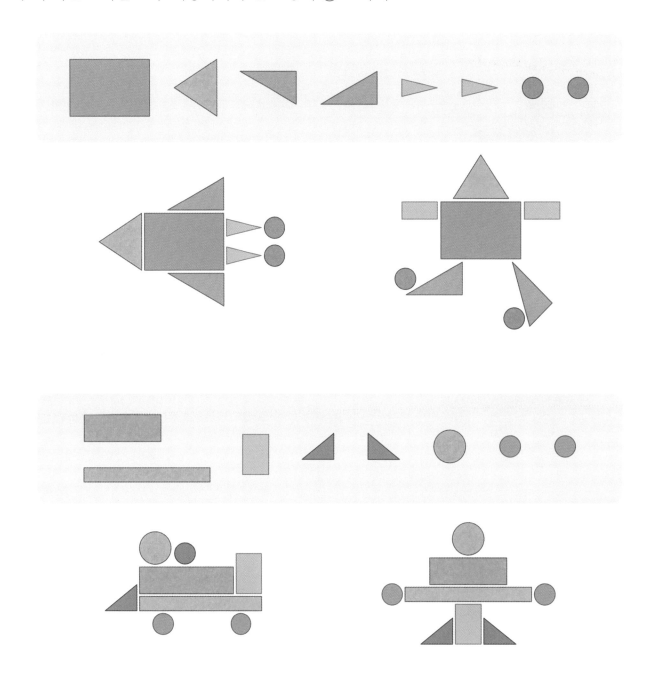

⑪ 왼쪽 모양을 꾸미는 데 이용하지 않은 조각에 ✕표 하세요.

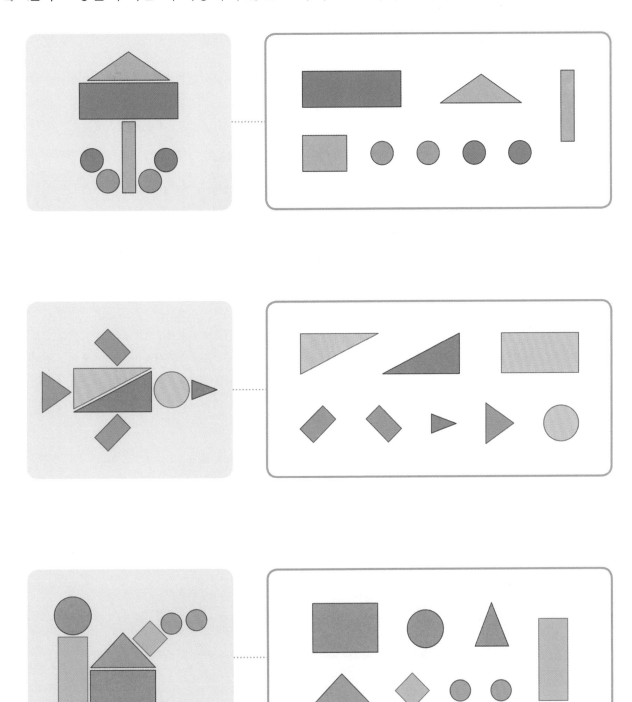

물음에 답하세요.

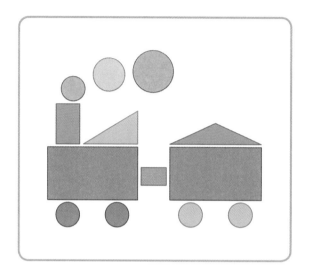

모양을 꾸미는 데 ■ 모양은 몇 개 이용했나요? ☐ 개

모양을 꾸미는 데 ▲ 모양은 몇 개 이용했나요? ☐ 개

모양을 꾸미는 데 가장 많이 이용한 모양에 ◯표 하세요.

ⓤ 물음에 답하세요.

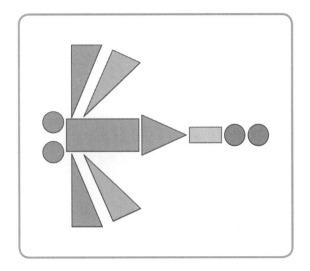

모양을 꾸미는 데 ▲ 모양은 몇 개 이용했나요? ☐개

모양을 꾸미는 데 ● 모양은 몇 개 이용했나요? ☐개

모양을 꾸미는 데 가장 적게 이용한 모양에 △표 하세요.

💬 여우와 악어를 꾸몄습니다. 물음에 답하세요.

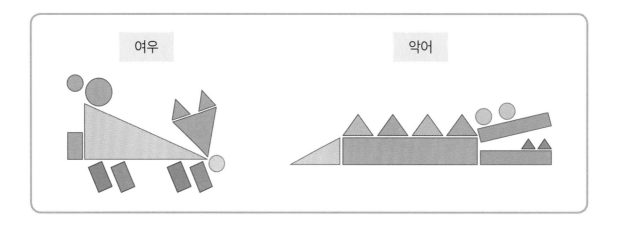

● 모양을 더 많이 이용한 것은 무엇일까요?   (   )

▲ 모양을 더 많이 이용한 것은 무엇일까요?   (   )

여우는 악어보다 ■ 모양을 몇 개 더 많이 이용했나요?   (   )개

모양의 개수

36일   선을 따라 그린 모양 (1) ······· 44

37일   선을 따라 그린 모양 (2) ······· 46

38일   성냥개비로 만든 모양 ······· 48

39일   종이 자르기 (1) ······· 50

40일   종이 자르기 (2) ······· 52

선을 따라 그린 모양 (1)

💬 선을 따라 ⬜ 모양을 그리고, ⬛ 모양의 개수를 세어 보세요.

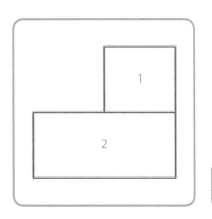

2 개

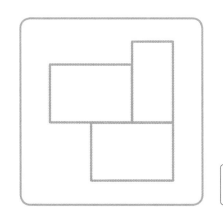

개

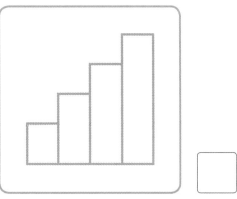

개

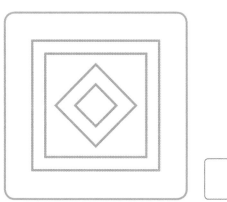

개

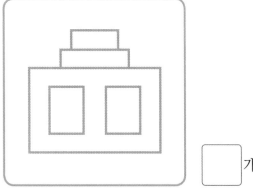

개

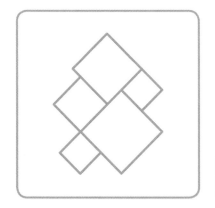

개

🗨 선을 따라 ▲ 모양을 그리고, ▲ 모양의 개수를 세어 보세요.

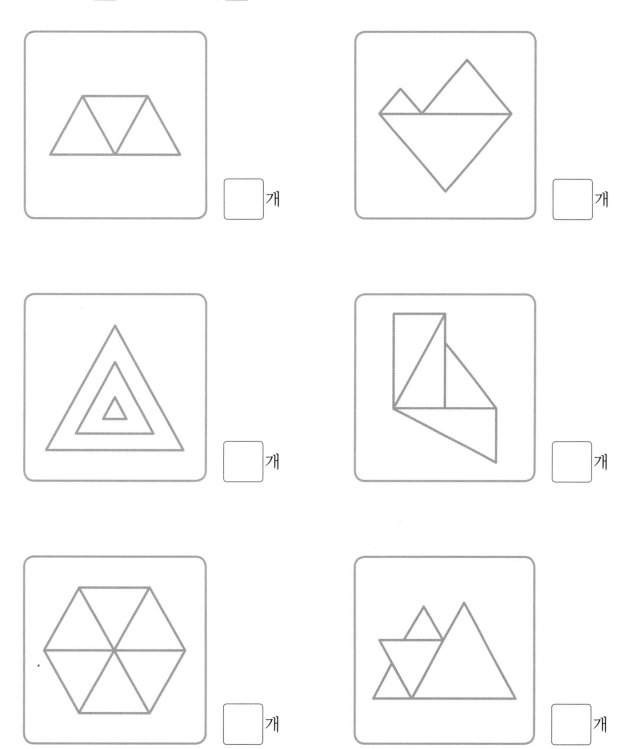

개

개

개

개

개

개

📺 ⬤ 모양을 겹쳐 그렸습니다. 선을 따라 ⬤ 모양을 그리고, ⬤ 모양의 개수를 세어 보세요.

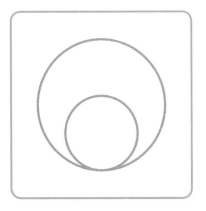
[   ]개

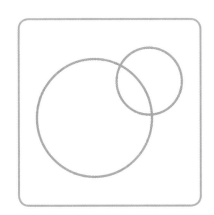
[   ]개

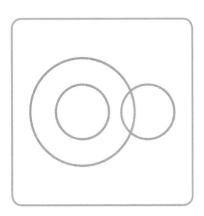
[   ]개

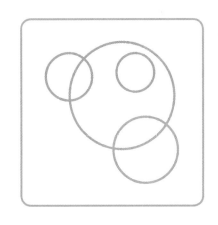
[   ]개

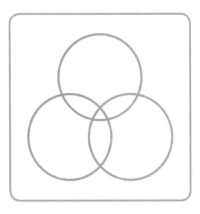
[   ]개

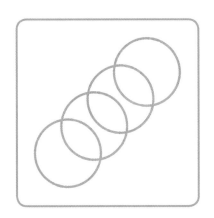
[   ]개

예 ■, ▲, ● 모양을 찾아 선을 따라 그리고, 모양별로 몇 개씩 이용했는지 세어 보세요.

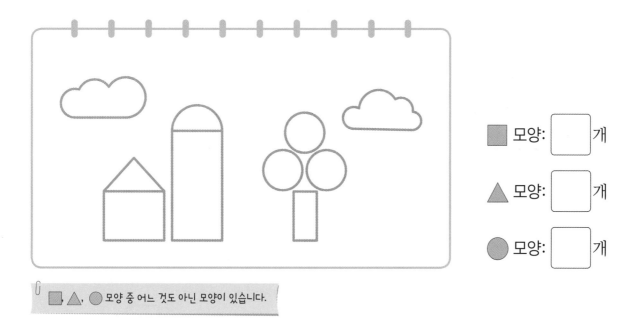

■ 모양: ☐ 개

▲ 모양: ☐ 개

● 모양: ☐ 개

■, ▲, ● 모양 중 어느 것도 아닌 모양이 있습니다.

■ 모양: ☐ 개

▲ 모양: ☐ 개

● 모양: ☐ 개

⏸ 성냥개비로 만든 ⬛ 모양은 몇 개인지 세어 보세요.

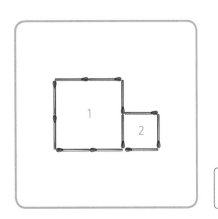

2 개

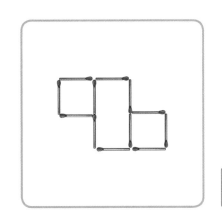

개

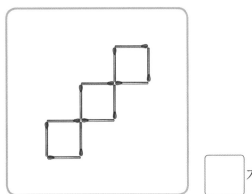

개

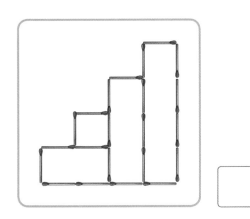

개

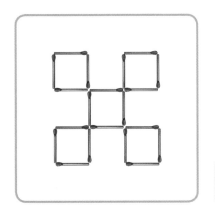

개

개

11 성냥개비로 만든 ■와 ▲ 모양은 각각 몇 개인지 세어 보세요.

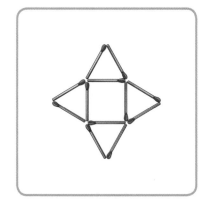

■ 모양: ☐ 개

▲ 모양: ☐ 개

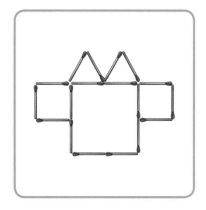

■ 모양: ☐ 개

▲ 모양: ☐ 개

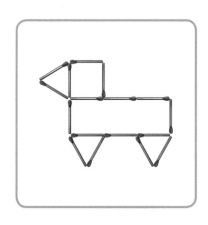

■ 모양: ☐ 개

▲ 모양: ☐ 개

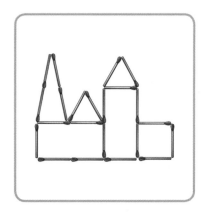

■ 모양: ☐ 개

▲ 모양: ☐ 개

종이 자르기 (1)

🅓 점선을 따라 자르면 △ 모양이 몇 개 나오는지 세어 보세요.

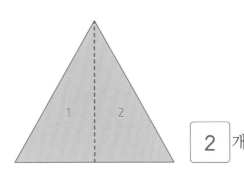

2 개

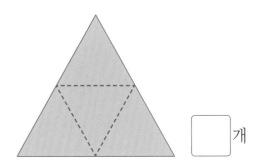

☐ 개

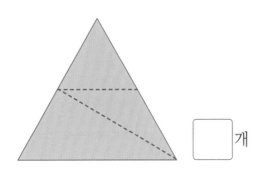

☐ 개

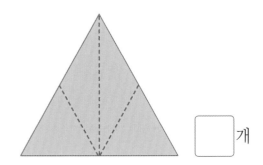

☐ 개

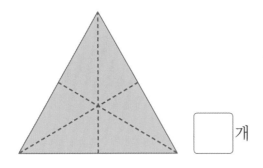

☐ 개

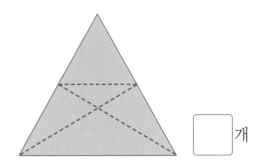

☐ 개

점선을 따라 자르면 ▨ 모양이 몇 개 나오는지 세어 보세요.

 ☐ 개

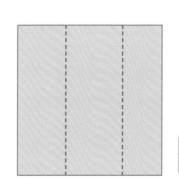 ☐ 개

☐ 개

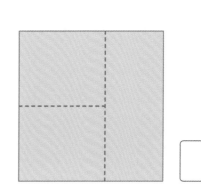 ☐ 개

☐ 개

☐ 개

⚠️ 점선을 따라 종이를 잘랐습니다. 나오는 모양에 ◯표 하고, 모양의 개수를 세어 보세요.

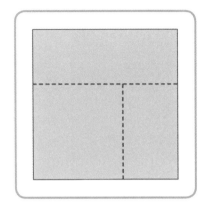

  개

  개

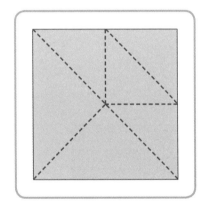

  개

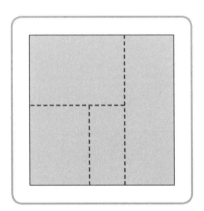

  개

11 점선을 따라 종이를 잘랐습니다. 모양별로 개수를 세어 보세요.

■ 모양: ☐ 개

▲ 모양: ☐ 개

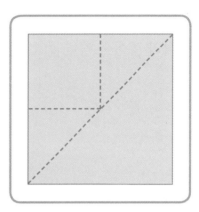

■ 모양: ☐ 개

▲ 모양: ☐ 개

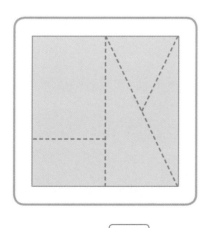

■ 모양: ☐ 개

▲ 모양: ☐ 개

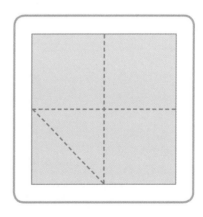

■ 모양: ☐ 개

▲ 모양: ☐ 개

물음에 답하세요.

점선을 따라 종이를 잘랐습니다. △ 모양은 ⬜ 모양보다 몇 개 더 많을까요?

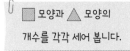 ⬜ 모양과 △ 모양의 개수를 각각 세어 봅니다.

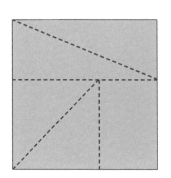

(   )개

점선을 따라 종이를 잘랐습니다. ⬜ 모양은 △ 모양보다 몇 개 더 많을까요?

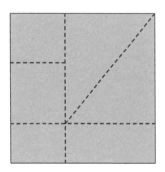

(   )개

도형 플러스+

- 겹쳐진 순서 -

PLUS **1** 2장 겹치기 ······················· 56

PLUS **2** 3장 겹치기 ······················· 58

PLUS **3** 색종이 겹치기 ····················· 60

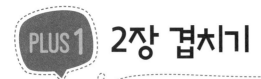

2장 겹치기

▶ ■, ▲, ● 모양의 종이 중 2장을 겹쳤습니다. 더 아래에 있는 모양에 ◯표 하세요.

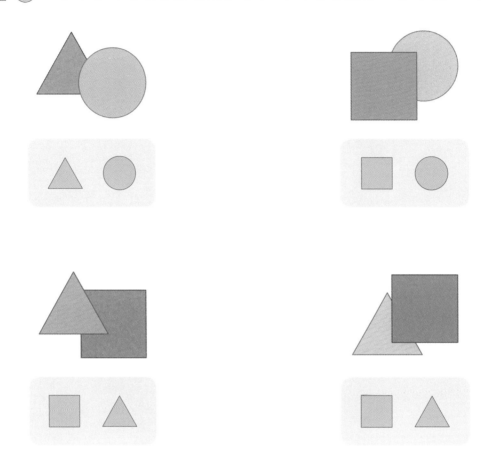

▶ ■, ▲, ● 모양의 종이 중 2장을 겹쳤습니다. 위에 있는 종이부터 차례로 모양을 그려 보세요.

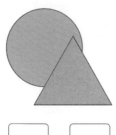

☐ ─ ☐

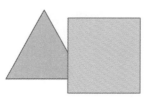

☐ ─ ☐

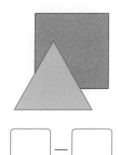

☐ ─ ☐

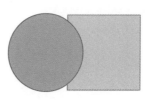

☐ ─ ☐

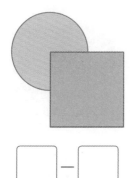

☐ ─ ☐

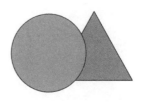

☐ ─ ☐

3장 겹치기

▶ 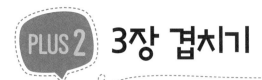 모양의 종이를 겹쳤습니다. 가장 아래에 있는 모양에 ◯표 하세요.

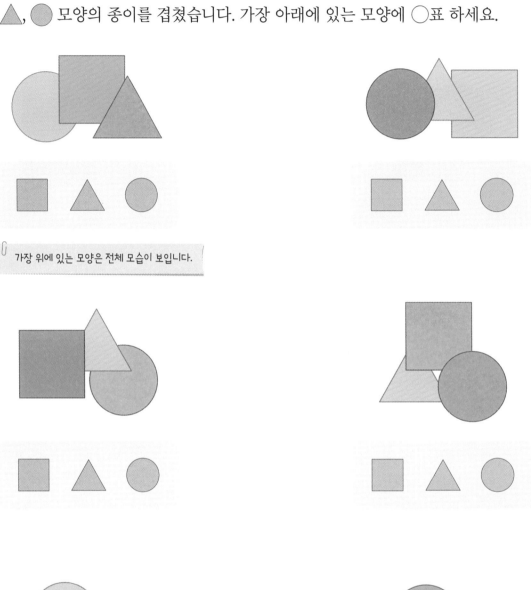

가장 위에 있는 모양은 전체 모습이 보입니다.

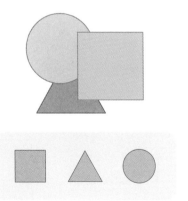

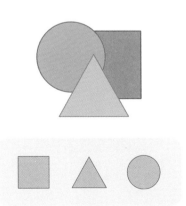

▶ ■, ▲, ● 모양의 종이를 겹쳤습니다. 가장 위에 있는 종이부터 차례로 모양을 그려 보세요.

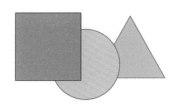

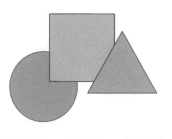

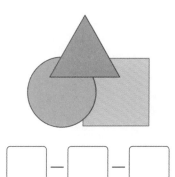

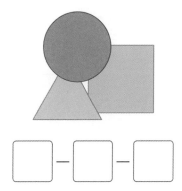

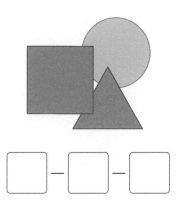

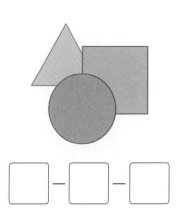

색종이 겹치기

▶ 크기가 같은 ⬜ 모양의 종이 3장을 겹쳤습니다. 가장 위에 있는 종이에 ◯표, 가장 아래
에 있는 종이에 △표 하세요.

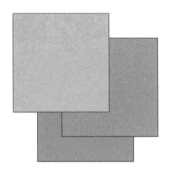

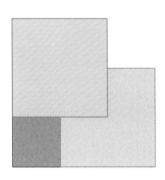

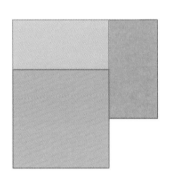

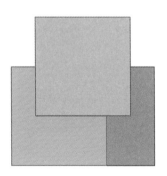

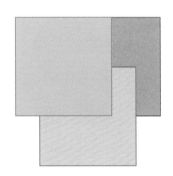

크기가 같은 ▨ 모양의 종이 **3**장을 겹쳤습니다. 가장 위에 있는 종이부터 차례로 번호를 써 보세요.

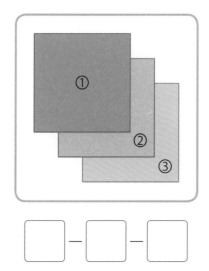

☐ － ☐ － ☐

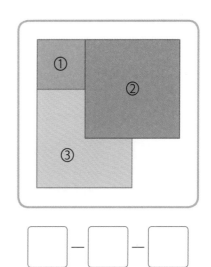

☐ － ☐ － ☐

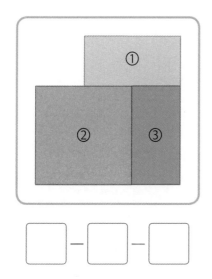

☐ － ☐ － ☐

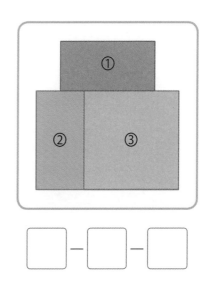

☐ － ☐ － ☐

memo

형성평가

1회 ·············· 64

2회 ·············· 66

1 필통을 본뜬 모양에 ◯표 하세요.

2 편평한 선이 **3**군데인 모양은 '**3**', 편평한 선이 **4**군데인 모양은 '**4**', 편평한 선이 없는 모양에는 '**0**'을 써 보세요.

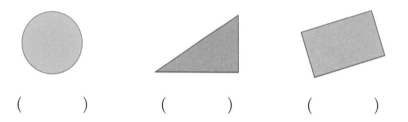

(   )   (   )   (   )

3 뾰족한 곳이 있는 모양은 모두 몇 개일까요?

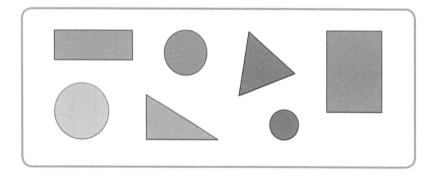

(   )개

4 모양을 꾸미는 데 가장 많이 이용한 모양에 ◯표 하세요.

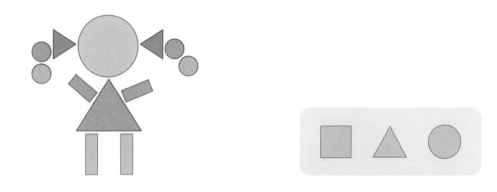

5 모양을 꾸미는 데 🔵 모양은 🔺 모양보다 몇 개 더 많이 이용했을까요?

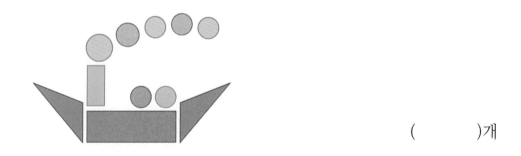

(   )개

6 점선을 따라 종이를 잘랐습니다. 모양별로 개수를 세어 보세요.

⬜ 모양: (   )개

🔺 모양: (   )개

1 본뜬 모양을 찾아 이어 보세요.

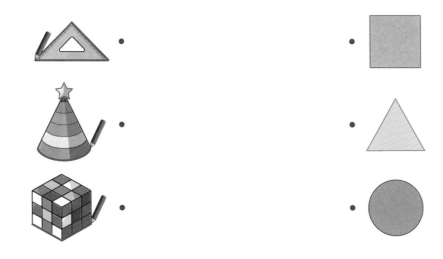

2 설명에 맞는 모양에 ◯표 하세요.

- 뾰족한 곳이 있습니다.
- 편평한 선이 **4**군데입니다.

3 평평한 부분에 물감을 묻혀 찍을 때 나올 수 있는 모양에 모두 ◯표 하세요.

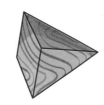

4 편평한 선이 없는 모양은 모두 몇 개일까요?

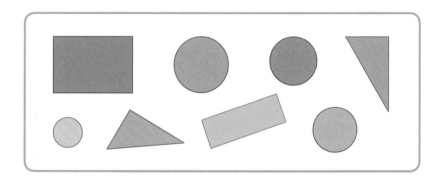

( )개

5 점선을 따라 종이를 잘랐습니다. 나오는 모양에 ◯표 하고, 모양의 개수를 세어 보세요.

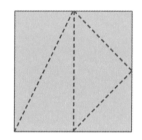

( )개

6 모양별로 몇 개씩 이용했는지 세어 보세요.

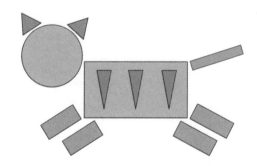

▢ 모양: ( )개

△ 모양: ( )개

◯ 모양: ( )개

memo

하루 한 장 60일 집중 완성

교 과도형 정답

초1

A2

여러 가지 평면 모양

HERO
Publishing House

정답

A2
여러 가지 평면 모양

1주차 본뜬 모양

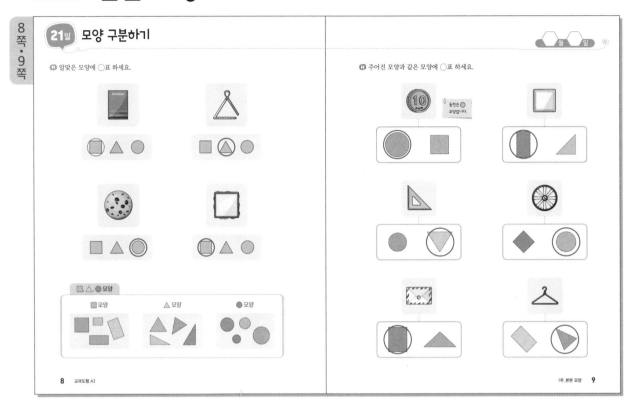

21일 모양 구분하기

월 일

알맞은 모양에 ◯표 하세요.

주어진 모양과 같은 모양에 ◯표 하세요.

■, △, ● 모양

| ■ 모양 | △ 모양 | ● 모양 |

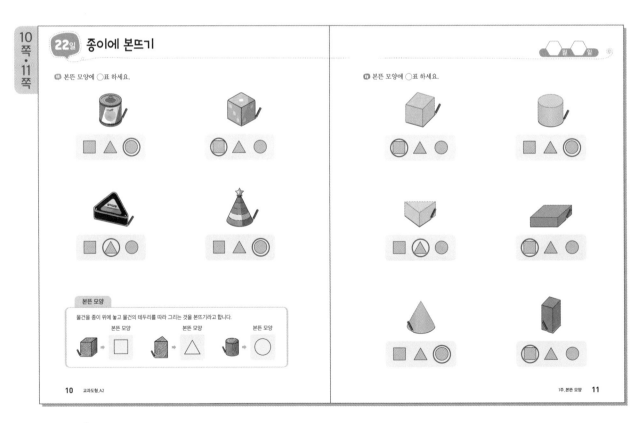

22일 종이에 본뜨기

월 일

본뜬 모양에 ◯표 하세요.

본뜬 모양에 ◯표 하세요.

본뜬 모양

물건을 종이 위에 놓고 물건의 테두리를 따라 그리는 것을 본뜨기라고 합니다.

본뜬 모양 ■ 본뜬 모양 △ 본뜬 모양 ●

23일 본뜬 모양 잇기

⑪ 본뜬 모양을 찾아 이어 보세요.

⑫ 본뜬 모양의 일부분입니다. 알맞게 이어 보세요.

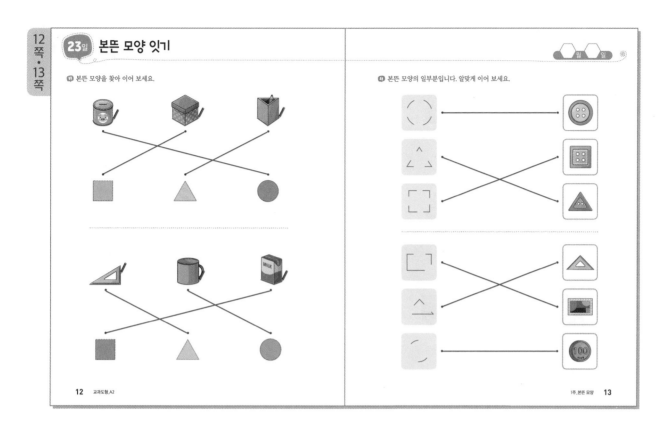

12 교과도형_A2

1주. 본뜬 모양 13

24일 본뜬 물건 찾기

⑪ 본뜬 모양입니다. 본뜬 물건에 ◯표 하세요.

⑫ 본을 떴을 때 왼쪽 모양이 나올 수 없는 모양에 ✕표 하세요.

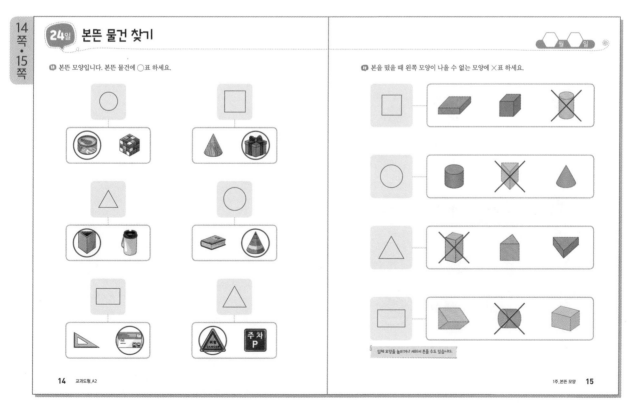

입체 모양을 눕히거나 세워서 본뜰 수도 있습니다.

14 교과도형_A2

1주. 본뜬 모양 15

정답

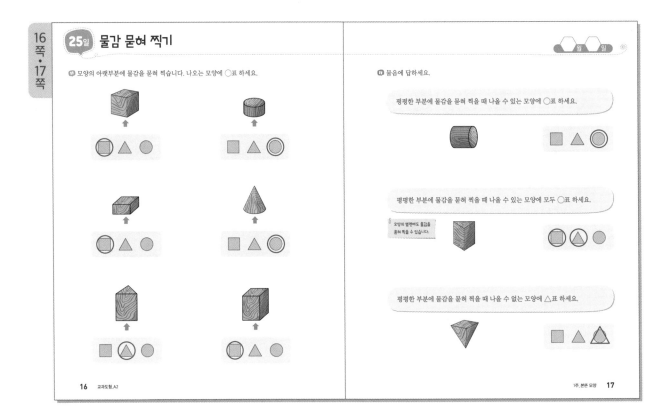

25일 물감 묻혀 찍기

월 일

⑬ 모양의 아랫부분에 물감을 묻혀 찍습니다. 나오는 모양에 ○표 하세요.

⑭ 물음에 답하세요.

평평한 부분에 물감을 묻혀 찍을 때 나오는 수 있는 모양에 ○표 하세요.

평평한 부분에 물감을 묻혀 찍을 때 나오는 수 있는 모양에 모두 ○표 하세요.

모양의 옆면에도 물감을 묻혀 찍을 수 있습니다.

평평한 부분에 물감을 묻혀 찍을 때 나오는 수 없는 모양에 △표 하세요.

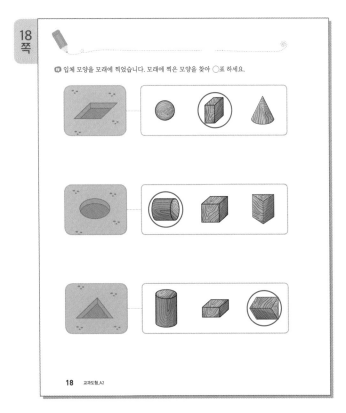

⑮ 입체 모양을 모래에 찍었습니다. 모래에 찍은 모양을 찾아 ○표 하세요.

4 교과도형_A2

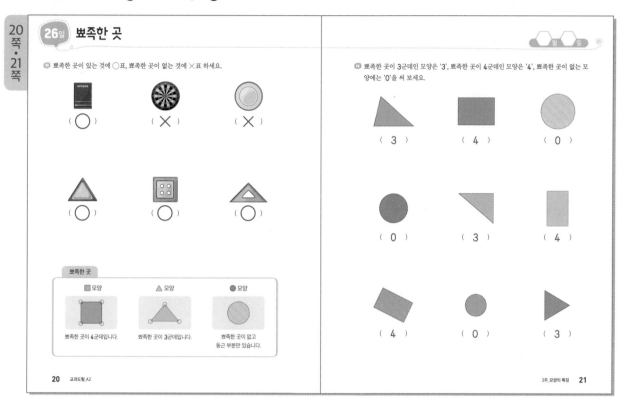

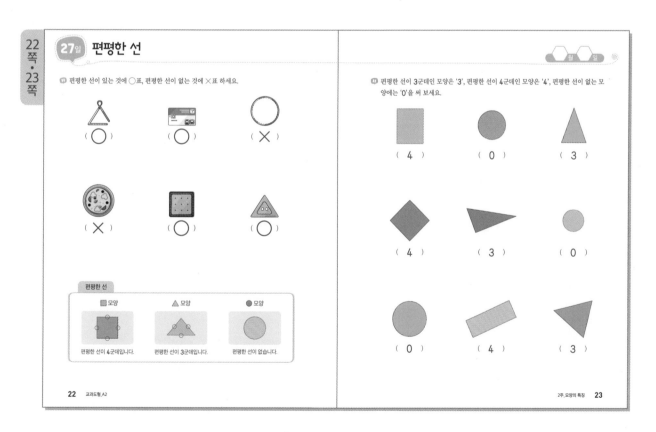

정답

28일 모양의 특징

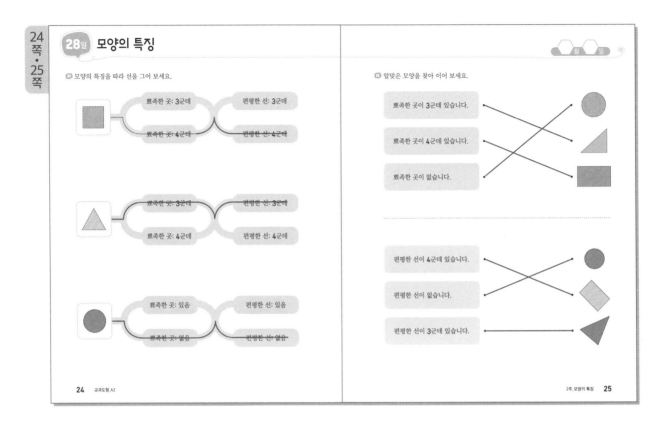

❶ 모양의 특징을 따라 선을 그어 보세요.

뾰족한 곳: 3군데   편평한 선: 3군데

뾰족한 곳: 4군데   편평한 선: 4군데

뾰족한 곳: 3군데   편평한 선: 3군데

뾰족한 곳: 4군데   편평한 선: 4군데

뾰족한 곳: 있음   편평한 선: 있음

뾰족한 곳: 없음   편평한 선: 없음

❷ 알맞은 모양을 찾아 이어 보세요.

뾰족한 곳이 3군데 있습니다.

뾰족한 곳이 4군데 있습니다.

뾰족한 곳이 없습니다.

편평한 선이 4군데 있습니다.

편평한 선이 없습니다.

편평한 선이 3군데 있습니다.

24 교과도형_A2

2주. 모양의 특징 25

29일 물건의 모양

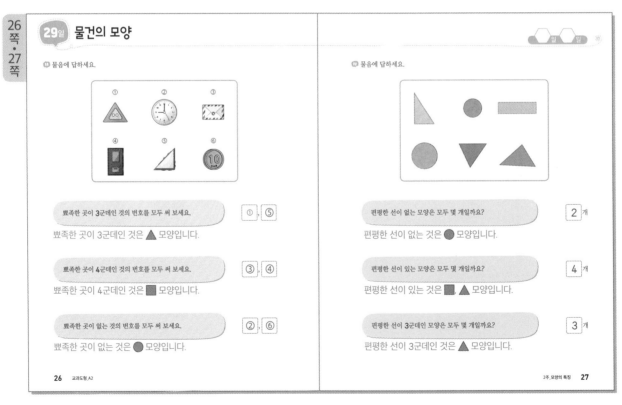

❶ 물음에 답하세요.

뾰족한 곳이 3군데인 것의 번호를 모두 써 보세요.   ① , ⑤

뾰족한 곳이 3군데인 것은 ▲ 모양입니다.

뾰족한 곳이 4군데인 것의 번호를 모두 써 보세요.   ③ , ④

뾰족한 곳이 4군데인 것은 ■ 모양입니다.

뾰족한 곳이 없는 것의 번호를 모두 써 보세요.   ② , ⑥

뾰족한 곳이 없는 것은 ● 모양입니다.

❷ 물음에 답하세요.

편평한 선이 없는 모양은 모두 몇 개일까요?   2 개

편평한 선이 없는 것은 ● 모양입니다.

편평한 선이 있는 모양은 모두 몇 개일까요?   4 개

편평한 선이 있는 것은 ■, ▲ 모양입니다.

편평한 선이 3군데인 모양은 모두 몇 개일까요?   3 개

편평한 선이 3군데인 것은 ▲ 모양입니다.

26 교과도형_A2

2주. 모양의 특징 27

30일 모양 분류

⑪ 모양의 특징에 따라 분류합니다. 빈칸에 알맞게 번호를 써넣으세요.

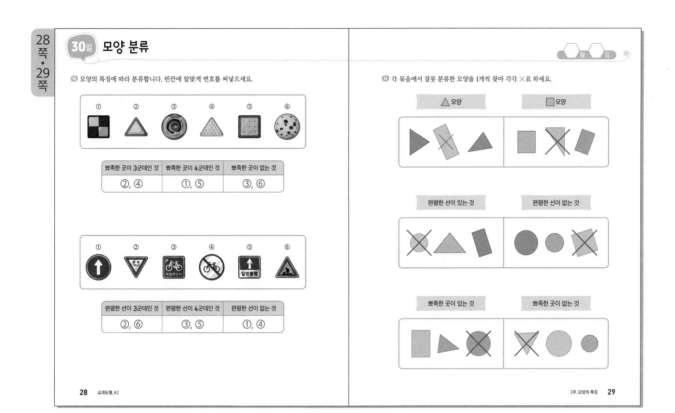

뾰족한 곳이 3군데인 것	뾰족한 곳이 4군데인 것	뾰족한 곳이 없는 것
②, ④	①, ⑤	③, ⑥

편평한 선이 3군데인 것	편평한 선이 4군데인 것	편평한 선이 없는 것
②, ⑥	③, ⑤	①, ④

⑫ 각 묶음에서 잘못 분류한 모양을 1개씩 찾아 각각 ✕표 하세요.

⑬ 알맞은 말에 ○표 하세요.

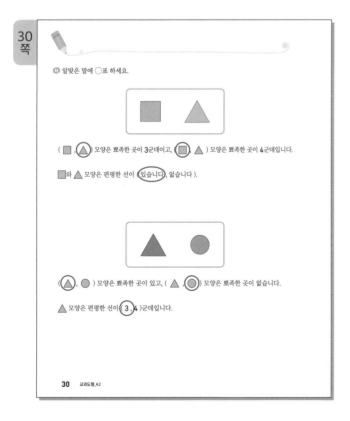

(■ , **△**) 모양은 뾰족한 곳이 3군데이고, (**■** , ▲) 모양은 뾰족한 곳이 4군데입니다.

■와 ▲ 모양은 편평한 선이 (있습니다, 없습니다).

(**△** , ●) 모양은 뾰족한 곳이 있고, (▲ , **●**) 모양은 뾰족한 곳이 없습니다.

▲ 모양은 편평한 선이 (**3** , 4)군데입니다.

3주차 모양 꾸미기

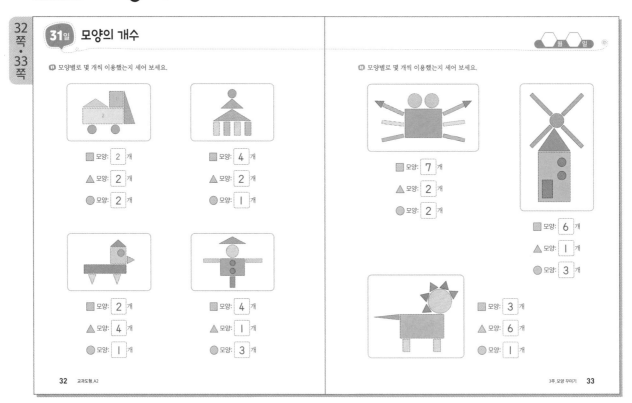

31일 모양의 개수

모양별로 몇 개씩 이용했는지 세어 보세요.

■ 모양: 2 개
▲ 모양: 2 개
● 모양: 2 개

■ 모양: 4 개
▲ 모양: 2 개
● 모양: 1 개

■ 모양: 2 개
▲ 모양: 4 개
● 모양: 1 개

■ 모양: 4 개
▲ 모양: 1 개
● 모양: 3 개

모양별로 몇 개씩 이용했는지 세어 보세요.

■ 모양: 7 개
▲ 모양: 2 개
● 모양: 2 개

■ 모양: 6 개
▲ 모양: 1 개
● 모양: 3 개

■ 모양: 3 개
▲ 모양: 6 개
● 모양: 1 개

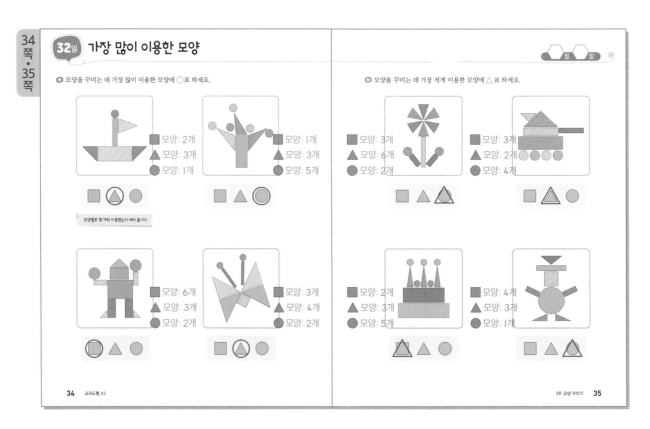

32일 가장 많이 이용한 모양

모양을 꾸미는 데 가장 많이 이용한 모양에 ◯표 하세요.

■ 모양: 2개
▲ 모양: 3개
● 모양: 1개

■ ▲ ●

■ 모양: 1개
▲ 모양: 3개
● 모양: 5개

■ ▲ ●

모양별로 몇 개씩 이용했는지 세어 봅니다.

■ 모양: 6개
▲ 모양: 3개
● 모양: 2개

■ ▲ ●

■ 모양: 3개
▲ 모양: 4개
● 모양: 2개

■ ▲ ●

모양을 꾸미는 데 가장 적게 이용한 모양에 △표 하세요.

■ 모양: 3개
▲ 모양: 6개
● 모양: 2개

■ ▲ ●

■ 모양: 3개
▲ 모양: 2개
● 모양: 4개

■ ▲ ●

■ 모양: 2개
▲ 모양: 3개
● 모양: 5개

■ ▲ ●

■ 모양: 4개
▲ 모양: 3개
● 모양: 1개

■ ▲ ●

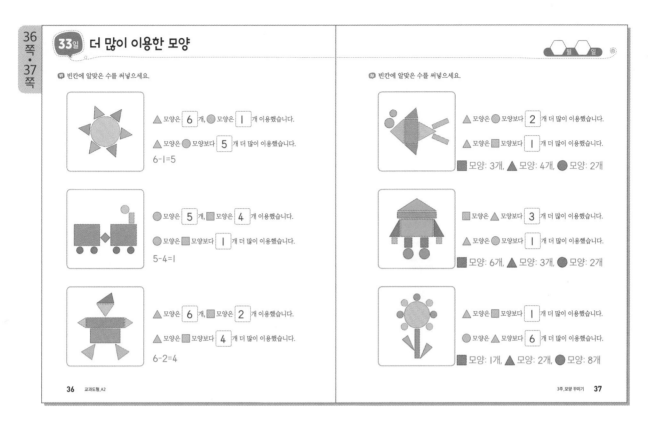

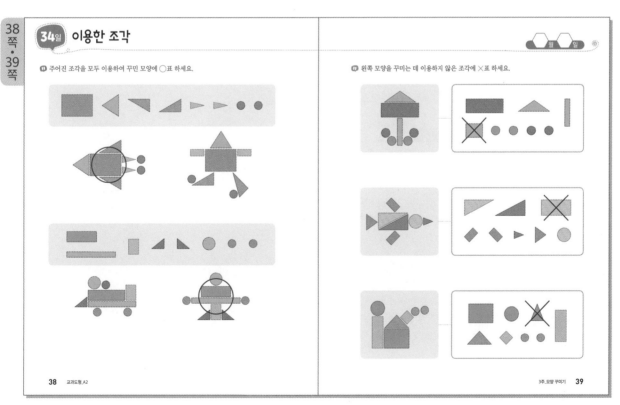

정답

35일 모양 꾸미기

❶ 물음에 답하세요.

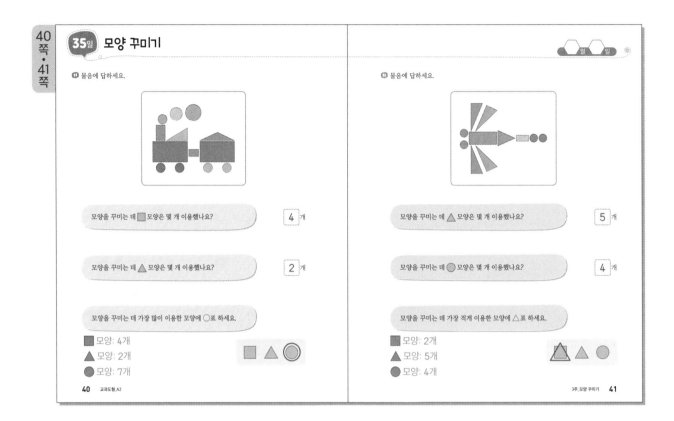

모양을 꾸미는 데 ■모양은 몇 개 이용했나요? **4** 개

모양을 꾸미는 데 ▲모양은 몇 개 이용했나요? **2** 개

모양을 꾸미는 데 가장 많이 이용한 모양에 ◯표 하세요.

■ 모양: 4개
▲ 모양: 2개
● 모양: 7개

■ ▲ **◉**

❶ 물음에 답하세요.

모양을 꾸미는 데 ▲모양은 몇 개 이용했나요? **5** 개

모양을 꾸미는 데 ◯모양은 몇 개 이용했나요? **4** 개

모양을 꾸미는 데 가장 적게 이용한 모양에 △표 하세요.

■ 모양: 2개
▲ 모양: 5개
● 모양: 4개

▲ ▲ ●

❷ 여우와 악어를 꾸몄습니다. 물음에 답하세요.

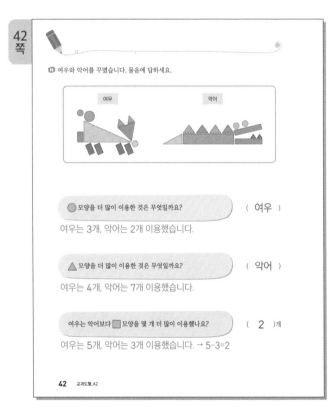

여우   악어

● 모양을 더 많이 이용한 것은 무엇일까요? (여우)
여우는 3개, 악어는 2개 이용했습니다.

▲ 모양을 더 많이 이용한 것은 무엇일까요? (악어)
여우는 4개, 악어는 7개 이용했습니다.

여우는 악어보다 ■모양을 몇 개 더 많이 이용했나요? (2)개
여우는 5개, 악어는 3개 이용했습니다. → 5-3=2

4주차 종이 자르기

36일 선을 따라 그린 모양 (1)

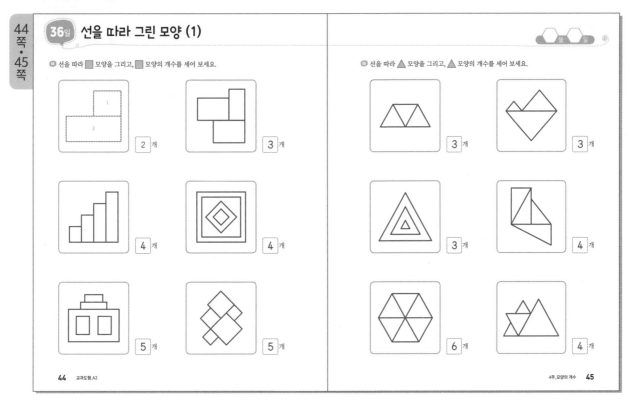

37일 선을 따라 그린 모양 (2)

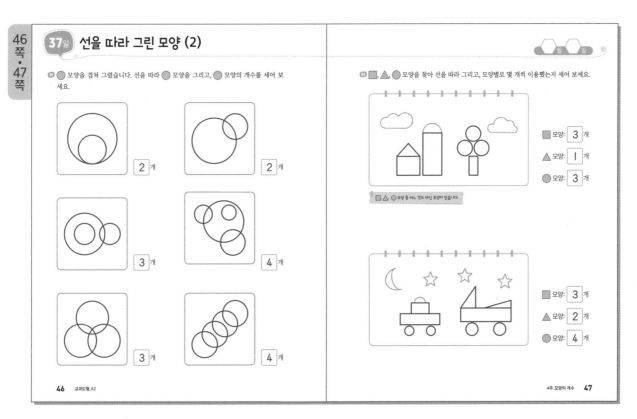

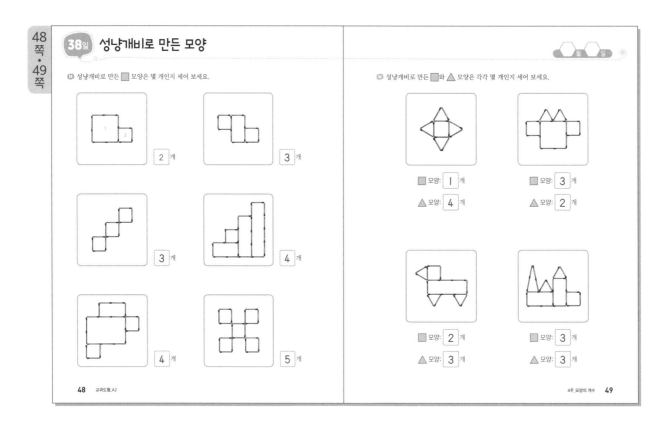

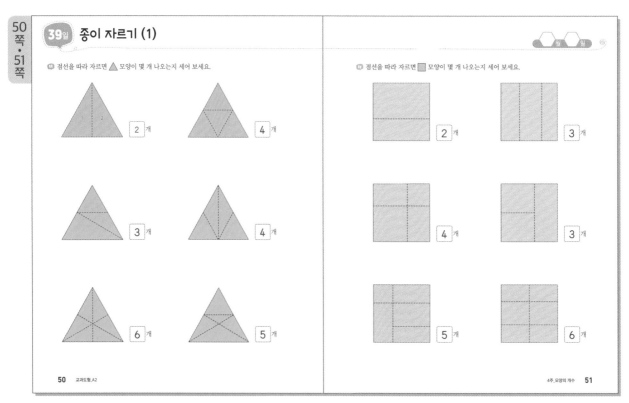

40일 종이 자르기 (2)

⑪ 점선을 따라 종이를 잘랐습니다. 나오는 모양에 ○표 하고, 모양의 개수를 세어 보세요.

⑫ 점선을 따라 종이를 잘랐습니다. 모양별로 개수를 세어 보세요.

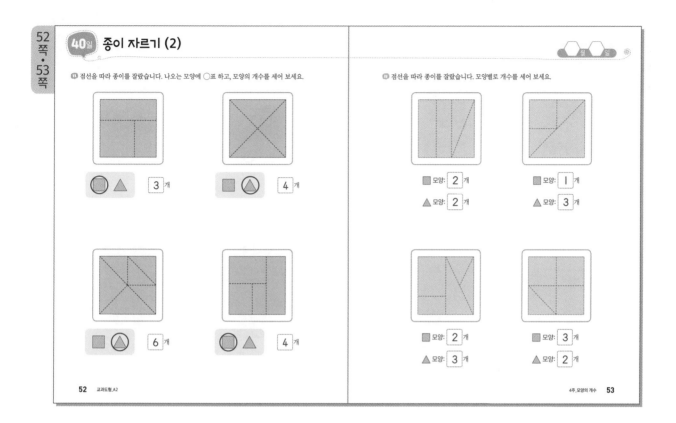

■ 모양: 2 개   ▲ 모양: 2 개

■ 모양: 1 개   ▲ 모양: 3 개

■ 모양: 2 개   ▲ 모양: 3 개

■ 모양: 3 개   ▲ 모양: 2 개

---

⑬ 물음에 답하세요.

점선을 따라 종이를 잘랐습니다. ▲ 모양은 ■ 모양보다 몇 개 더 많을까요?

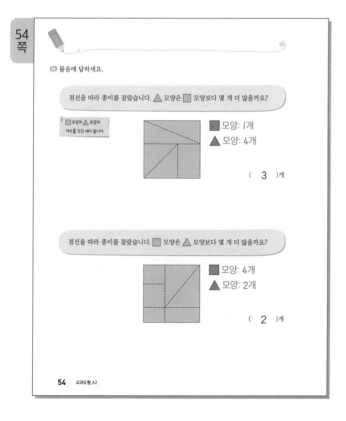

■ 모양과 ▲ 모양의 개수를 각각 세어 봅니다.

■ 모양: 1개
▲ 모양: 4개

(3)개

점선을 따라 종이를 잘랐습니다. ■ 모양은 ▲ 모양보다 몇 개 더 많을까요?

■ 모양: 4개
▲ 모양: 2개

(2)개

도형플러스+ 겹쳐진 순서

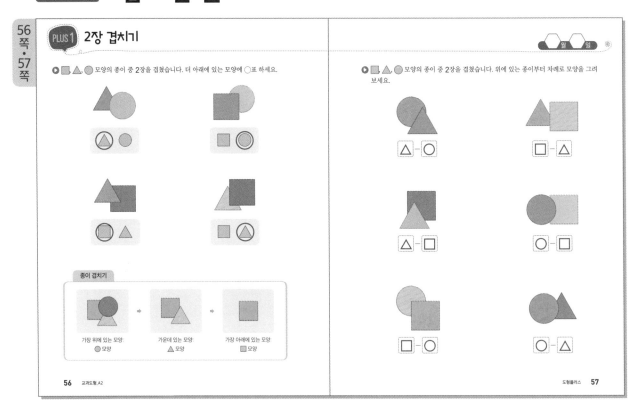

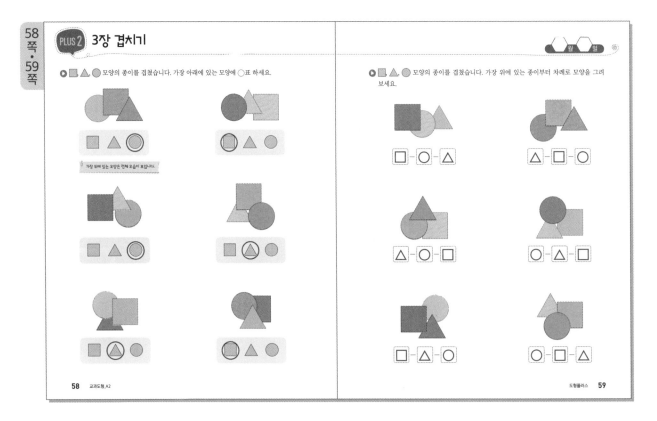

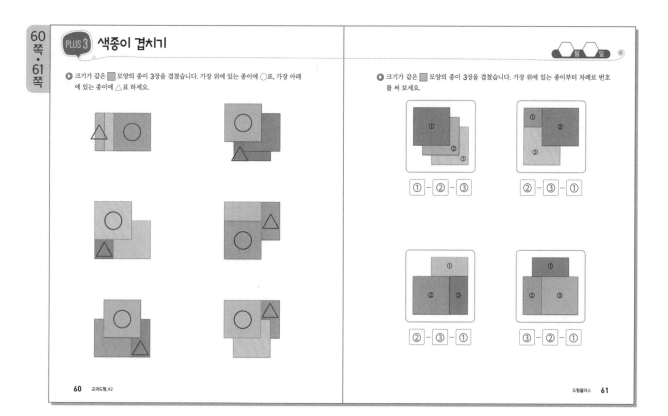

PLUS 3 색종이 겹치기

▶ 크기가 같은 ▨ 모양의 종이 3장을 겹쳤습니다. 가장 위에 있는 종이에 ○표, 가장 아래에 있는 종이에 △표 하세요.

▶ 크기가 같은 ▨ 모양의 종이 3장을 겹쳤습니다. 가장 위에 있는 종이부터 차례로 번호를 써 보세요.

①－②－③

②－③－①

②－③－①

③－②－①

[크기와 모양이 같은 종이 겹치기]

가장 위에 있는 종이는 전체 모양이 보입니다. 즉, 가장 위에 있는 종이와 같은 모양의 종이를 여러 장 겹친 것입니다.

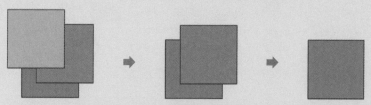

종이를 겹친 순서를 찾을 때는 가장 위에 있는 종이를 없앴을 때, 그 다음으로 어떤 종이가 전체 모양이 보일 것인지를 예상하며 찾아야 합니다. 이와 같은 방법으로 종이를 하나씩 없앤 것을 예상하면서 겹쳐진 순서를 찾습니다.

종이 겹치기는 보이지 않는 부분을 예상하여 문제를 해결하는 것으로 공간감각을 높여줍니다.

정답

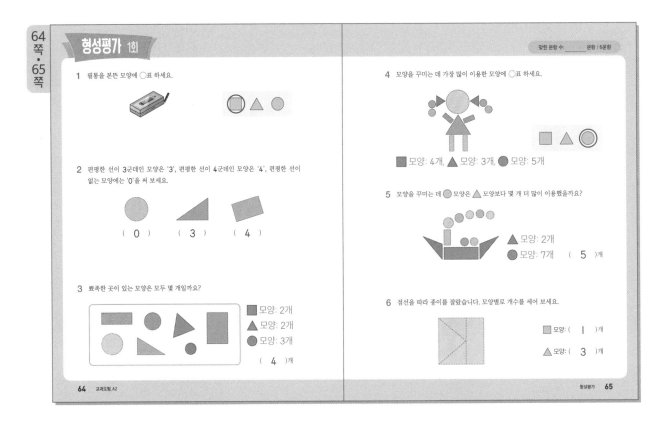

형성평가 1회

맞힌 문항 수: _____ 문항 / 6문항

1 필통을 본뜬 모양에 ◯표 하세요.

2 편평한 선이 3군데인 모양은 '3', 편평한 선이 4군데인 모양은 '4', 편평한 선이 없는 모양에는 '0'을 써 보세요.

(0) (3) (4)

3 뾰족한 곳이 있는 모양은 모두 몇 개일까요?

■ 모양: 2개
▲ 모양: 2개
● 모양: 3개
(4)개

4 모양을 꾸미는 데 가장 많이 이용한 모양에 ◯표 하세요.

■ 모양: 4개, ▲ 모양: 3개, ● 모양: 5개

5 모양을 꾸미는 데 ● 모양은 ▲ 모양보다 몇 개 더 많이 이용했을까요?

▲ 모양: 2개
● 모양: 7개   (5)개

6 점선을 따라 종이를 잘랐습니다. 모양별로 개수를 세어 보세요.

■ 모양: (1)개
▲ 모양: (3)개

64 교과도형_A2

형성평가 65

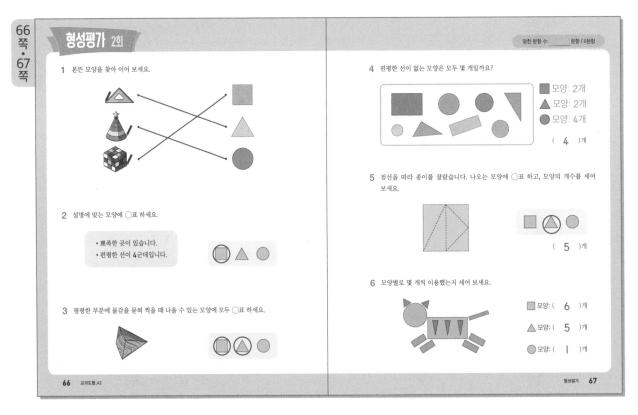

형성평가 2회

맞힌 문항 수: _____ 문항 / 6문항

1 본뜬 모양을 찾아 이어 보세요.

2 설명에 맞는 모양에 ◯표 하세요.

• 뾰족한 곳이 있습니다.
• 편평한 선이 4군데입니다.

3 편평한 부분에 물감을 묻혀 찍을 때 나올 수 있는 모양에 모두 ◯표 하세요.

4 편평한 선이 없는 모양은 모두 몇 개일까요?

■ 모양: 2개
▲ 모양: 2개
● 모양: 4개
(4)개

5 점선을 따라 종이를 잘랐습니다. 나오는 모양에 ◯표 하고, 모양의 개수를 세어 보세요.

(5)개

6 모양별로 몇 개씩 이용했는지 세어 보세요.

■ 모양: (6)개
▲ 모양: (5)개
● 모양: (1)개

66 교과도형_A2

형성평가 67

16 교과도형_A2